Busca y Encuentra™

Disney · PIXAR

Cars 2

Ilustrado por Art Mawhinney y los Artistas de Libros de Cuentos de Disney

Traducción: Arlette de Alba

publications international, ltd.

Después de obtener otra victoria en la Copa Pistón, Rayo McQueen estaba listo para unas vacaciones pero, gracias a Mate, ¡en lugar de eso competirá en el Gran Prix Mundial! Encuentra en el restaurante del Rueda Rueda estas cosas del pasado de Rayo McQueen.
Recorte de periódico
Tractor volcado
Candado para coche
Retrato de Doc Hudson
Rust-eze
Lata de Rust-eze
Turistas
Rust-eze
PEACE

Rusteze

¡Rayo McQueen y su equipo están en la fiesta del Gran Prix Mundial que ofrece Miles Axlerod en Tokio! Encuentra allí estos coches de todo el mundo.
Finn McMissile
Fillmore
Grem
Miles Axlerod
Holley Shiftwell
Luigi

allinol
allinol

Durante la carrera japonesa, ¡los villanos del Profesor Z persiguen a Mate! Con toda esa distracción, Rayo pierde ante su rival, Francesco. ¿Puedes encontrar estas cosas en el centro de Tokio?

Galleta de la fortuna

Abanico

Este letrero

Este letrero

Este letrero

Parasol decorativo

おっす!
DRINK
DINOCO
DINOCO
Light
Jumbo Big
Lug Nuts
ターボ
うさぎ
DINOCO
エネルギードリンク
DIAL
爆音楽
POWERED BY
allinol

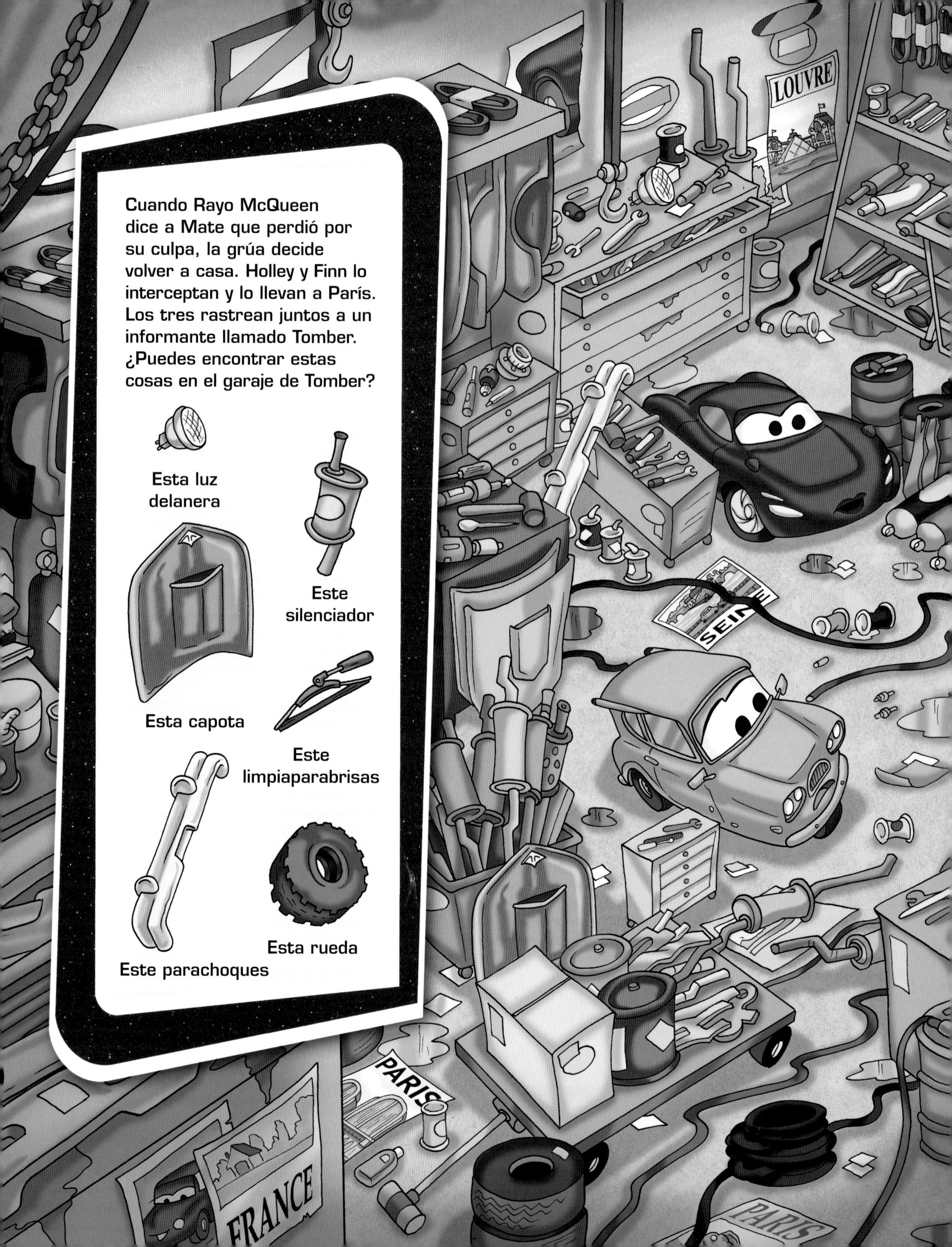
Cuando Rayo McQueen dice a Mate que perdió por su culpa, la grúa decide volver a casa. Holley y Finn lo interceptan y lo llevan a París. Los tres rastrean juntos a un informante llamado Tomber. ¿Puedes encontrar estas cosas en el garaje de Tomber?
Esta luz delanera
Este silenciador
Esta capota
Este limpiaparabrisas
Este parachoques
Esta rueda
LOUVRE
SEIN
PARIS
FRANCE
PARIS

PARIS
PARIS
Gastow's
PARIS
PARIS
Paris
PARIS

OPOLINO'S
GOMME
¡Esta es una fiesta de bienvenida para Luigi y Guido! Rayo McQueen recibe consejos del tío de Luigi y lamenta haberse enfadado con Mate. Quiere pedirle disculpas. ¿Puedes encontrar a estos invitados en la fiesta?
Luigi
El primo de Guido
La prima de Luigi
El Tío Topolino
El sobrino de Luigi
El primo de Luigi

¡Los amigos de Radiador Springs llegan a Londres para ayudar a Rayo McQueen y a Mate! ¿Puedes encontrar estos vehículos?
Rojo
Sally
Sargento
Profesor Z
Guido
Ramón

¡Mate tiene adherida una bomba! Por suerte, Mate y Rayo McQueen llegan al Palacio de Buckingham justo a tiempo para hacer que Miles Axlerod desactive el artefacto, ¡y dicen a la Reina que Axlerod estaba detrás del plan del Profesor Z desde un principio! ¿Puedes encontrar a estos guardias reales?
TAXI

95

¡Rayo McQueen y sus amigos regresan a Radiador Springs! Busca por el pueblo algunos recuerdos que Mate ha traído a casa.
PORTO CORSA
Autoadhesivo
Flotante de Rayo McQueen
Figurilla
Tokio
Señal del camino
BIG BENTLEY
Cartel
Esfera de nieve
Carburator EMPORIUM Repair
Miss PISTON
POP N PATCH TIRE REPAIR
OPEN
¡BIENVENIDOS FANÁTICOS DE LAS CARRERAS!
BIENVENIDOS
Tokio
ANTI FREEZE

BIENVENIDOS a Radiador Springs
EAT
SPARKY.S
TIRES
SPARK
RADIADOR SPRINGS LES DA LA BIENVENIDA
BIENVENIDOS
BIG BENTLEY
GRANPRIXMUNDIAL
FLUID
PISTON CUP
PORTO CORSA
REFRESCOS
OIL

¡Rayo McQueen accede a participar en el Gran Prix Mundial! Vuelve al restaurante del Rueda Rueda y encuentra estas cosas de las carreras.

Bandera

Auriculares

Combustible orgánico

Al Oft

Copa Pistón

Francesco

¡Mate causó destrozos en la fiesta de Miles Axlerod después de engullir un poco de wasabi! Regresa para buscar estas cosas con las que tropezó.

Jarrón roto

Charco de aceite

Cuadro torcido del Monte Fuji

Letrero desgarrado

Fuente agrietada

Lámpara caída

Regresa al garaje de Tomber para buscar estos carteles.

La Torre Eiffel

El Arco de Triunfo

El Louvre

Notre Dame

Gastow

El río Sena

Vuelve al centro de Tokio y encuentra 10 banderas de Japón.

El Tío Topolino le dice a Rayo McQueen: "Quien encuentra un amigo, encuentra un tesoro." ¿Puedes encontrar estos tesoros en Italia?

Monedas de oro

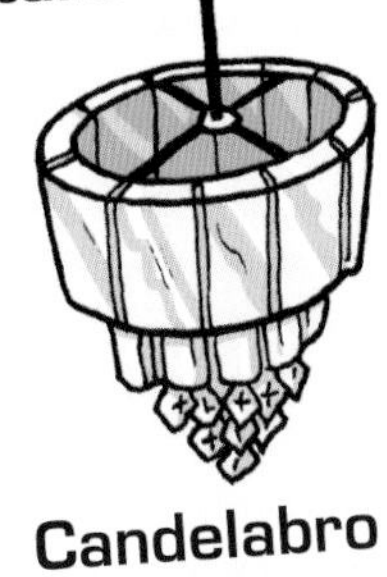
Candelabro de cristal

Collar de perlas

Placa de oro

Capota enjoyada

Jarrón

Vuelve a la batalla de Londres y encuentra a estos villanos derrotados por el equipo de Radiador Springs.

Grem amarillo

Grem naranja

Hugo púrpura

Hugo rojo

Acer de color óxido

Acer gris

Encuentra a estos súbditos británicos entre la multitud en el Palacio de Buckingham.

Regresa a Radiador Springs y busca estas deliciosas golosinas que el público disfruta.

Nieve de V6

Combustible orgánico

Refrigerante

Fluido para la transmisión

Anticongelante

Aceite de motor

worldgrandprix
PISTON CUP